Un monstre
dans la peau

Pour Nicolas et Nathan

HUBERT BEN KEMOUN

Samuel

Un monstre dans la peau

Illustrations de François Roca

Paramount
presents
Boris Karloff IN
"EDDY LE CYCLOPE
DES TENEBRES"
with
DIRECTED BY
BROWNING

un

Nos modes

En octobre, la mode était aux lucioles de couleur. Après la sortie du film *Eddy, le Cyclope des ténèbres,* une bonne partie de la cour de récréation s'était retrouvée avec un bandeau en plastique autour du front. Au milieu du bandeau, une petite lumière clignotait en rouge, en vert ou en bleu. Cela nous donnait un genre extraterrestre très original.

— Une allure de bicyclette… se moquait ma mère.

Après Noël, les lucioles ont été remplacées par les bandanas fluo. C'est Cathy K. Roll, la chanteuse de rock, qui avait lancé la mode à la sortie de son dernier disque. Cette fois-ci, ma mère n'a rien trouvé à redire en me voyant partir à l'école, tous les matins, avec le foulard offert pour l'achat du disque.

Mon copain Lionel en portait deux, un à chaque poignet, certaines filles attachaient leurs cheveux avec, ou le portaient en bandeau sur le front. Je gardais le mien, un rouge écarlate, noué simplement autour du cou, le nœud sur le côté.

Et puis est arrivée la nouvelle mode, celle de juin, celle des tatouages…

On les trouvait dans les paquets de céréales du petit déjeuner. Toutes les marques s'y étaient mises et le choix était très vaste. Ces dessins aux couleurs vives s'appliquaient facilement sur la peau à l'aide d'un gant de toilette ou d'une éponge humide. Ils tenaient pendant trois ou quatre jours avant de se dégrader. Après, il suffisait de frotter un peu pour tout faire disparaître.

Les tatouages ressemblaient si parfaitement à des vrais que ma mère a poussé un des cris d'horreur dont elle a le secret lorsqu'elle a découvert le petit scorpion qui grimpait sur mon avant-bras. Il a fallu que je lui montre le paquet de céréales pour qu'elle se calme.

À la piscine, le mardi après-midi, chacun y allait de sa dernière trouvaille.

Les signes du zodiaque étaient les plus répandus autour du grand bassin, mais on pouvait aussi admirer des fauves aux crocs luisants de vitalité et quelques dragons éternuant leurs incendies. Dans certaines boîtes de céréales, on trouvait des tatouages de fleurs, de voitures de sport ou des portraits de vedettes de la chanson, mais aucun de nous n'avait encore réussi à dénicher dans son paquet de corn flakes le Grand Cobra Magique.

– Il paraît qu'il n'y en a qu'un seul exemplaire ! expliquait Lionel dans les vestiaires.

– Et qu'est-ce que ça te donne de plus d'avoir un cobra ? demandait Pierrick, très fier du tigre du Bengale qui grimpait sur son thorax.

– Justement, il est unique ! Personne n'aura le même et il tient plus longtemps que les autres !

J'avoue que ce fameux Grand Cobra Magique, je n'y pensais pas trop. Après le scorpion, j'avais déniché deux capricornes que je m'étais empressé d'échanger contre un superbe Tyrannosaure Rex avec Charlotte. Je n'y pensais pas trop jusqu'à ce qu'un dimanche matin je découvre, dans mon paquet de « Flapi Flakes », la pièce rarissime.

– Quelle horreur ! a lancé ma mère en se versant une deuxième tasse de café.

Je n'ai rien dit. Je devais avoir la tête de quelqu'un qui tient entre les mains un ticket gagnant du Millionnaire. Je ne savais pas à quel point j'avais tiré le super gros lot…

deux

Une merveille

ENROULÉ SUR LUI-MÊME, la gueule appuyée contre sa queue, l'animal semblait dormir. Il était deux fois plus grand que les tatouages auxquels nous étions habitués. Tout nu devant la glace de la salle de bains, je réfléchissais depuis un moment à l'endroit où j'allais bien pouvoir coller cette merveille.

Sur mon bras ? Il aurait pris trop de place et j'entendais déjà les fameux hurlements de ma mère.

Sur mon ventre ? Je n'aimais pas beaucoup cette idée, on pourrait avoir l'impression que j'avais oublié de retirer mon tee-shirt.

Sur mon dos ? J'étais incapable de le positionner correctement tout seul, et même, il me serait impossible de le contempler sans l'aide d'une glace.

J'ai choisi mon épaule gauche. Je trouvais que cela pouvait me donner l'allure d'un pirate arborant fièrement son perroquet insolent et, d'un seul petit tour de tête, je pourrais me retrouver nez à nez avec lui.

Derrière la porte, ma mère s'impatientait :

— Samuel, tu comptes passer tout ton dimanche là-dedans ?

— Deux minutes ! ai-je répondu en repassant une dernière fois le gant de toilette sur mon épaule.

– Tu me rendras folle !

Ce genre de plainte ne m'inquiète pas trop. Depuis que papa est parti, elle en répète de semblables dix fois par semaine. J'ai tout de même accéléré. Sans admirer le résultat, en vitesse, j'ai enfilé mon tee-shirt et j'ai ouvert la porte.

J'ai attendu qu'elle soit sous la douche pour appeler Lionel.

– Tu fais quoi aujourd'hui ? lui ai-je demandé.

– Rien de particulier, mes parents reçoivent des amis ce midi, tu vois le genre… ça va encore être un dimanche mortel. Tu proposes quoi ?

– Rendez-vous à trois heures sur les bords de la Saponne, sous le rocher de Sabine, ça te dit ? On pourrait se baigner et puis… j'ai un truc à te montrer.

– Ton nouveau maillot ?

– C'est ça, rigole toujours, mon

vieux, tu ne vas pas en croire tes yeux !

La Saponne, c'est notre Mississippi à nous. À vélo, c'est à dix minutes de chez moi et je n'ai eu aucun problème pour négocier, avec ma mère, un après-midi copains.

À table, mon épaule me grattait beaucoup. Le tatouage séchait, c'était normal. J'ai pensé que si la démangeaison était plus forte que d'habitude, c'était sûrement parce que le tatouage était plus grand.

Je l'ai regardé avant d'enfourcher mon vélo. Il était là, parfaitement en place, sa gueule tournée vers mon cou. Je me suis amusé à le faire bouger en roulant mon épaule. C'était étonnant comme impression, on l'aurait cru vivant tant le dessin était ressemblant. J'ai pensé que je l'avais bien mal observé dans la salle de bains. Je l'avais vu endor-

mi mais, en fait, ses deux yeux étaient
grands ouverts. Ils me fixaient attenti-
vement.

J'ai foncé vers la Saponne. La démangeaison tardait à se calmer.

Il bouge !

Lionel m'attendait en s'entraînant aux ricochets lorsque je suis descendu sur la petite plage de la Saponne. J'ai tout de suite remarqué qu'il avait changé de tatouage. Un scarabée bleu tout neuf avait pris la place du buffle qui trônait encore il y a quelques jours sur son bras. Lionel m'a à peine laissé le temps d'attacher mon vélo.

– Alors, ce truc génial ? C'est quoi ?

J'ai fait durer le plaisir en installant

tranquillement ma serviette de bain sur un rocher, sans lui répondre.

– Alors ? C'était une blague ?

– Pas du tout ! Regarde ! j'ai dit en retirant mon tee-shirt.

Il est resté bouche bée quelques secondes, son regard passant de mon épaule à mes yeux. Il a fini par bégayer :

– Tu… tu l'as eu ! C'est toi qui l'as eu !?

– Oh, tu sais, c'est juste un tatouage plus grand que les autres et un peu mieux dessiné, ai-je fait humblement.

Mais j'avoue que la surprise de Lionel me faisait très plaisir.

– Un peu mieux dessiné ? Tu plaisantes, Sam, il est magnifique ! Regarde comme ses écailles brillent au soleil, et ses crocs, t'as vu les crocs qu'il a ? C'est dingue !

J'ai jeté un coup d'œil inquiet à mon

épaule. Un frisson glacé m'a parcouru de part en part. Non seulement il ne dormait pas, ses yeux étaient effectivement ouverts, mais deux redoutables crochets acérés émergeaient de sa gueule ouverte.

– Ouais! jolies quenottes... j'ai fait timidement.

Je ne rêvais pas. Le serpent n'était plus exactement dans la même position que celle de l'image tirée du paquet de céréales. Sa tête avait doublé de volume et l'espèce de paire de lunettes si particulière à ces bestioles était à présent tout à fait visible. Et puis ce regard...

– T'as du bol, Sam, a dit Lionel d'une voix un peu sourde.

Il fixait toujours mon épaule.

– Ton scarabée aussi est très beau! Si on allait se baigner maintenant?

Lionel n'a rien répondu. Il n'arrivait plus à détacher ses yeux du cobra.

Un drôle de regard, Lionel… Des yeux ronds comme des agates…

– Lionel… ai-je murmuré.

Pas de réponse.

– Hé ! Lionel !

J'avais presque crié en saisissant son bras pour le secouer. Il ne m'entendait plus.

Le cobra s'était dressé sur mon épaule. Sorti de son dessin, il vacillait de gauche à droite, tout doucement. Un sifflement léger montait près de mon oreille. L'animal était en train d'hypnotiser mon ami !

– Lionel ! Réveille-toi ! ai-je hurlé en le poussant violemment en bas du rocher, pour qu'il cesse de fixer le serpent.

J'ai attrapé mon tee-shirt et je l'ai enfilé d'un coup. Le sifflement s'est arrêté aussitôt.

Lionel était sonné comme un boxeur

sur un ring. Quand il a doucement émergé, il ne se souvenait de rien.

– Qu'est-ce qui s'est passé, Sam ? Je suis tombé ? a-t-il bafouillé, encore effaré.

– T'as glissé du rocher, ça va mieux ?

– J'ai cru voir une vipère, tu l'as vue aussi ?

– Euh… oui ! Elle a eu aussi peur que toi, elle a filé.

Je n'avais pas le courage de lui raconter ce qui venait de se passer. J'ai regardé sous mon tee-shirt, le cobra était redevenu un dessin de cobra, à nouveau tranquillement endormi. Lionel semblait avoir oublié jusqu'à l'existence de mon tatouage. Je ne lui ai rien dit. À présent, je n'avais qu'une hâte : faire disparaître cette horreur.

Nous ne nous sommes pas baignés. Pas question d'exhiber à nouveau mon cobra. Je suis rentré rapidement en prétextant une grosse fatigue. Ce n'était pas un mensonge, j'avais l'impression que mon épaule me brûlait et, lorsque je suis arrivé chez moi, je tremblais de fièvre.

39° 4, affirmait le thermomètre.

– Tu me rendras folle ! a ajouté ma mère en hurlant quand elle a découvert le tatouage.

Heureusement, le cobra dormait toujours.

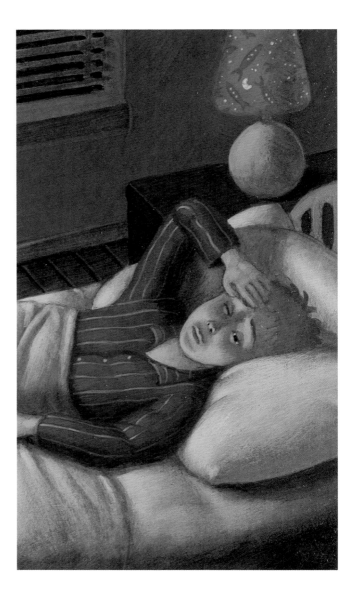

quatre

La fièvre

JE ME SUIS RÉVEILLÉ en pleine nuit. Un incendie soufflait dans ma tête, un brasier dévorait mon épaule, je tremblais et transpirais de fièvre. Je suis allé boire un verre d'eau à la salle de bains ; le cobra dormait. Au gant de crin, celui qui déchire la peau, j'ai frotté longtemps et aussi fort que j'ai pu. Rien à faire, le Grand Cobra Magique était le plus tenace de tous les tatouages. Avec la pointe d'une paire de ciseaux, j'ai gratté pour tenter d'effacer la bête, je n'ai réussi qu'à me faire mal et à la réveiller.

Est-ce que la fièvre me faisait délirer?

Le cobra me fixait dans la glace. Son regard n'était pas menaçant, au contraire, il semblait malheureux. Peut-être avait-il compris que je cherchais par tous les moyens à me débarrasser de lui? Il était à nouveau dressé sur mon épaule, son sifflement avait repris, son léger balancement aussi. Je voulais fermer les yeux, en espérant que tout serait redevenu normal lorsque je les ouvrirais à nouveau, mais impossible de détacher mon regard de celui du cobra et de cette langue qui frétillait hors de sa gueule.

Il me berçait et ma fièvre se calmait

au fur et à mesure que je me laissais hypnotiser. Je sentais qu'il fallait résister, mais… c'était si agréable…

– Samuel, qu'est-ce que tu fais là ?

Brusquement, ma mère venait d'ouvrir la porte dans mon dos. J'ai sursauté et, machinalement, je me suis retourné vers elle. Le sifflement s'est arrêté net. D'un coup d'œil au miroir, j'ai constaté que le cobra avait repris sa sieste à plat sur mon épaule.

– Tu es moins chaud, a-t-elle dit, sa main posée sur mon front. File te recoucher, je ne te réveillerai pas demain matin en partant. Je préviendrai l'école et je t'appellerai du bureau. Samuel, je déteste ce tatouage ! Il me fait peur !

Elle n'imaginait pas à quel point, pour une fois, j'étais d'accord.

Au matin, à mon réveil, j'ai senti que le cobra avait disparu de mon épaule.

Je l'ai senti avant même d'aller le vérifier dans la grande glace du couloir. J'ai bien examiné partout. Fini, parti. Ni à côté de mon cou, ni ailleurs. Je ne voulais pas chercher à comprendre comment avait pu se produire ce nouveau phénomène incroyable car, pour moi, une seule chose comptait, ce serpent était un danger et, en disparaissant, il me libérait.

C'est en terminant de m'habiller que j'ai entendu le cri de Mlle Aubin, la concierge. Un cri abominable qui a déchiré le silence de l'immeuble.

– Ahhh! Un monstre! Au secours! Il y a un monstre dans l'escalier! Au secours!

Lorsque j'ai déboulé sur le palier, il y avait trois monstres: la vieille Aubin, évanouie et affalée de tout son long

devant la porte de l'ascenseur, mon cobra géant qui cherchait à avancer dans le couloir vers la rue, et l'abominable Didi, le teckel gâteux de Mlle Aubin, qui lui barrait le chemin de la sortie en aboyant, comme il le fait à longueur de journée.

Le serpent mesurait bien cinq mètres de long. À présent, c'était un vrai, un puissant cobra.

Fou et téméraire, l'ignoble Didi tentait de l'empêcher d'atteindre la rue. Tout en jappant, il lui a sauté non loin de la tête et l'a mordu d'un coup sec. Le cobra a sifflé. D'une superbe détente, il a saisi le chien au museau et l'a englouti dans sa gueule grande ouverte. N'a plus dépassé que le postérieur ridicule de Didi, un petit bout de sa queue, puis, plus rien.

Mais ce qui est incroyable, c'est que,

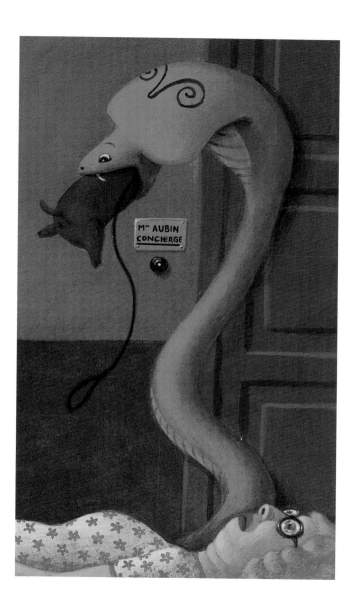

moi aussi, j'avais senti les crocs de Didi
sur mon épaule. J'ai crié de douleur,
alors que le cobra se faufilait rapidement vers la rue.

cinq

En promenade

CE N'ÉTAIT PAS DIFFICILE de suivre le chemin qu'avait pris le cobra. Les hurlements des gens, les corps allongés de quelques passants évanouis me guidaient. Mais il y avait autre chose. J'avais l'impression de savoir exactement ce que ressentait le cobra. Je réalisai soudain à quel point nous étions liés. À présent j'en étais certain, il avait compris que je cherchais à le chasser et il s'était échappé avant que je ne parvienne à me débarrasser de lui.

Bien sûr, il me faisait peur, mais c'était aussi mon serpent. Maintenant, même à distance, j'éprouvais ce qu'il ressentait. Il tentait de trouver un endroit où se réfugier et je savais que si on lui faisait mal, je ressentirais sa blessure, comme avec les crocs de Didi. Et si on le tuait, allais-je mourir aussi ? Je devais absolument l'aider à s'enfuir.

J'ai foncé en vélo jusqu'au parc.

J'étais dans la bonne direction, des gens horrifiés s'enfuyaient dans tous les sens en hurlant.

— Ne t'approche pas du bassin, petit, va-t'en ! m'a crié une dame en galopant avec un landau vers la sortie.

Au loin, j'ai entendu la sirène des pompiers. Il fallait faire vite.

Mon cobra s'était coulé dans le bas-

sin des statues et tournait en rond près de la cascade. Il était encore plus grand que tout à l'heure dans l'immeuble. Dès qu'il m'a vu près du bord, il s'est approché de moi en redressant sa large tête.

— Je ne peux pas te garder chez moi, tu comprends ? C'est beaucoup trop dangereux et cette fois-ci, ma mère deviendrait vraiment folle ! ai-je tenté de lui expliquer en caressant ses écailles.

Redressé, la gueule hors de l'eau, il semblait m'entendre, m'écouter, me comprendre... Tout d'un coup, ses yeux ont fixé quelque chose derrière moi.

On aurait dit des cosmonautes. Cinq pompiers dans des combinaisons spéciales avançaient lentement vers le bassin. L'un d'eux tenait une grande épuisette et un autre, un fusil muni d'une lunette.

Je me suis retourné vers le cobra.

– Vite, reprends ta place, reviens sur mon épaule, sinon ils sont capables de t'enfermer dans un zoo ou de te tuer ! Vite !

– Écarte-toi, garçon ! a crié celui qui tenait l'arme.

Il visait le bassin.

– Vite ! Reviens ! ai-je à nouveau lancé à mon serpent.

La balle a explosé dans l'eau, à l'instant même où le serpent disparaissait. Lorsque les pompiers sont arrivés à ma hauteur, le bassin était vide.

– Où est passé le monstre ? a demandé le tireur.

– Il a plongé sous la cascade, m'sieur ! ai-je dit.

– Très bien, il se fera broyer par le système des pompes des égouts ! Faut pas rester là, petit !

Je me suis éloigné en grattant mon épaule. La démangeaison avait recommencé. Il était là, minuscule, bien caché sous ma chemise. Tout en pédalant, je lui ai murmuré :

— Tu sais que tu es sûrement le premier grand cobra à faire du vélo !

Il a passé sa toute petite tête par le col de ma chemise et je l'ai entendu siffler. Visiblement, il appréciait beaucoup la promenade.

Je suis arrivé en fin de matinée sous le rocher de Sabine, au bord de la Saponne. La plage était vide et j'ai retiré mes vêtements avant de plonger dans l'eau fraîche.

— Maintenant, tu peux y aller, tu seras tranquille ici, et dès qu'il y aura du danger, tu pourras revenir, je te garde la place sur mon épaule.

J'avais à peine terminé ma phrase que j'ai senti le cobra nager à côté de moi. Il était immense, un vrai monstre. Je l'ai regardé s'éloigner sous les branches de saules et se tourner une dernière fois vers moi avant de plonger sous les rochers.

Lorsque je suis arrivé chez nous, ma mère m'attendait.

— J'ai essayé de t'appeler cent fois ! Tu me rendras folle, Samuel ! a-t-elle répété en me serrant contre elle.

Je suis retourné à l'école l'après-midi, et tout est rentré dans l'ordre. On s'est moqué de moi, parce que je n'avais pas de tatouage. J'ai prétendu que j'attendais la prochaine mode pour m'y remettre.

C'était il y a un mois.

Depuis, notre ville est devenue très célèbre et les touristes arrivent de partout pour essayer de photographier Le Monstre de la Saponne que des pêcheurs prétendent avoir aperçu. Un monstre de plus de dix mètres de long et qui apparaît aussi vite qu'il disparaît. Des chasseurs aussi viennent pour tenter de le capturer.

Ils peuvent toujours essayer, à chaque fois qu'ils croient le tenir au bout de leurs fusils, il disparaît comme par magie... Et cela m'étonnerait qu'on pense à venir le chercher sur mon épaule...

TABLE DES MATIÈRES

Hubert Ben Kemoun

Il rédige depuis plusieurs années des histoires pour la radio, la télé ou le théâtre. Il fabrique aussi pour les journaux des grilles de jeux. Enfin, il écrit des livres pour les enfants, les petits comme les plus grands.

Il jure qu'il ne porte pas de tatouage. Mais peut-on en être tout à fait sûr ? Rien ne prouve qu'un lion rugissant ou un gros léopard ne vienne parfois se blottir sur son épaule…

François Roca

À l'instar du héros de cette aventure, il a lui aussi un serpent : « Le grand cobra écharpe magique ». Très seyant, celui-ci remplace avantageusement le port de la cravate. Il existe aussi dans de nombreux coloris et vous assure ainsi un succès garanti !

premiers romans

La reine du monde

Une série écrite par Hubert Ben Kemoun
Illustrée par Thomas Ehretsmann

« Ses mains se sont crispées, sa mâchoire a fait une étrange grimace. Elle se retenait pour ne pas crier.

– Je t'interdis de prétendre que je raconte n'importe quoi ! s'est-elle contentée de dire.

– C'est ça oui, et ta grand-mère fait du roller sur la lune, aussi !

Les autres ont ri et j'ai cru que Rebecca allait me gifler quand elle s'est levée. Mais avec un petit sourire de défi, elle a déclaré :

– Eh bien Samuel ! Je t'invite, là, tout de suite, chez moi ! Et tu verras ! »

Dorénavant, Samuel devra faire attention avant de contredire une fille.